Essential

Kakuro

p

How to Solve a Kakuro Puzzle

The object of the puzzle is to place one number into every blank square, so that the numbers in each row or column of consecutive blank squares adds up to the 'clue' total shown at the beginning of that block of squares. Only the numbers 1 to 9 may be used (zero is not allowed) and no number may be used more than once in any consecutive block of squares across or down.

Here is an example of a very small puzzle, with step-by-step instructions on how it might be solved – and, for ease of cross-referencing squares with the explanation, we have lettered the columns and rows:

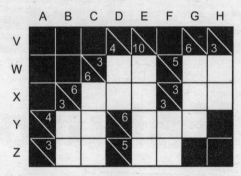

First try to determine what combinations of numbers can make up the various clue totals, according to the quantity of squares to be filled. For instance, above the consecutive block of blank squares reference EW, EX, EY and EZ there is a total of '10', so the numbers in those squares are (in some order) 1, 2, 3 and 4.

The two numbers making a total of '4' as shown above the block reference DW and DX cannot be 2 and 2 (since no number can appear more than once in any block), so these must be either 1 and 3 or 3 and 1. If they are 3 and 1, then we would place a 3 in square DW and a 1 in square DX

Essential

Kakuro

This is a Parragon Publishing Book
First published in 2006

Parragon
Queen Street House
4 Queen Street
Bath BA1 1HE, UK

Cover design by Talking Design

ISBN 1-40547-636-2

A copy of the British Library Cataloguing-in-Publication Data
is available from the British Library.

Printed in UK

– but then (because zero is not used in this puzzle), we would have no number to put into square EW, since the total for squares DW and EW is '3'. So the two numbers making a total of '4' as shown above the block of squares DW and DX are 1 and 3. The grid now looks like this:

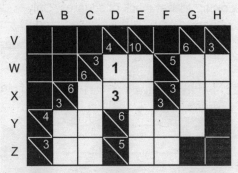

and it should be easy to see that the only number which can now be placed in square EW is a 2 (totalling '3' for the block of two squares reference DW and EW).

At this point it may be helpful to pencil in the remaining alternative numbers for the block of squares reference EW, EX, EY and EZ, which total '10', like this:

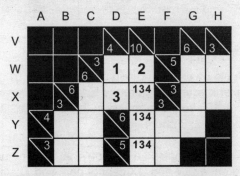

By pencilling in the alternatives for EX, EY and EZ, you can see that in order to give a total of '6' for squares CX, DX and EX, the number in EX cannot be a 3 because there is a 3 in

DX, so, the numbers in squares CX and EX are either 1 and 2 or 2 and 1. The choice of available numbers for square EX does not include a 2 (there is already a 2 in EW), so the number in EX must be 1 and the number in CX is thus 2.

The grid now looks like this:

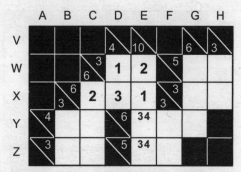

From here, you can see that for EY, FY and GY to total '6', the number combination is 1, 2 and 3 in some order, so the number in EY is 3, thus the number in EZ is 4.

By elimination, the total of '5' which is required for squares EZ and FZ is thus 4 and 1 (with the 1 in FZ), so the total of '3' in FY and FZ means that there must be a 2 in FY, so there is a 1 in GY.

The grid now looks like this:

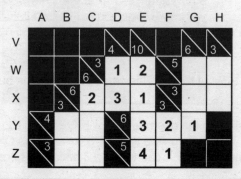

vi

In GW, GX and GY, the total is '6', so there is either a 2 or a 3 in GX. If the 3 is in GX, then there would be no possible number for HX (which together with GX totals '3'), so there is a 2 in GX and a 3 in GW; thus there is a 1 in HX and a 2 in HW.

For CX, CY and CZ to total '6', the numbers in CY and CZ are either 1 and 3 or 3 and 1. If the 3 is in CZ, then there would be no possible number for BZ (which together with CZ totals '3'), so there is a 3 in CY and a 1 in CZ; thus there is a 1 in BY and a 2 in BZ.

The finished puzzle looks like this:

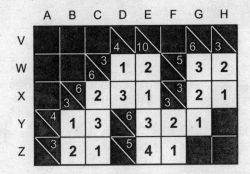

There is no time limit given in which to solve these puzzles and, whilst some may seem easier than others, your solving abilities will improve as you work through the book – and you may even become more adept at solving mental arithmetic, having fun in the process!

Solutions to all of the puzzles can be found at the back of the book.

No 1

No 2

No 3

No 4

No 5

No 6

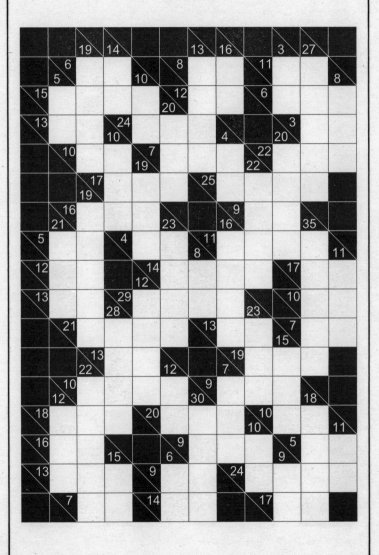

No 7

No 8

No 9

No 10

No 11

No 12

No 13

No 15

No 16

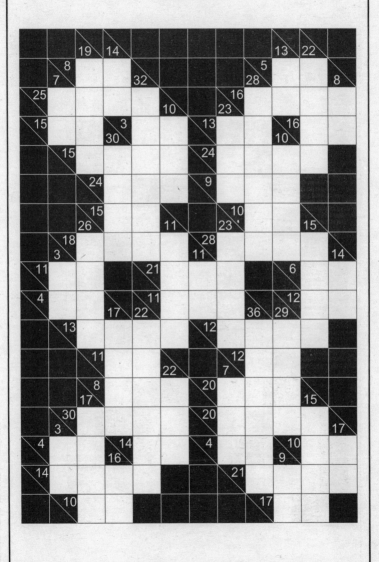

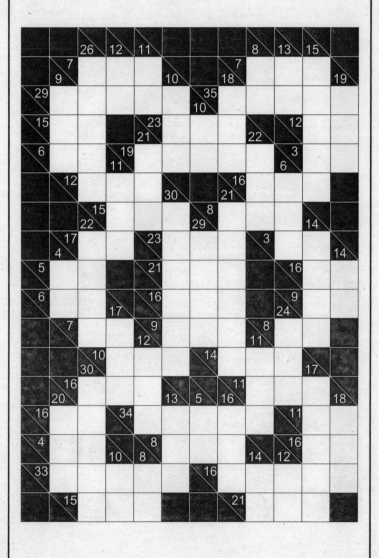

No 18

No 19

No 20

No 21

No 22

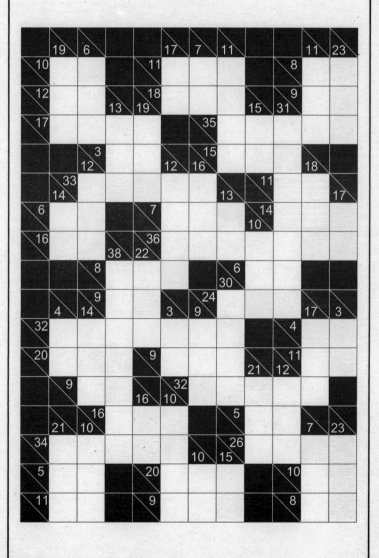

No 23

No 24

No 25

No 26

No 29

No 30

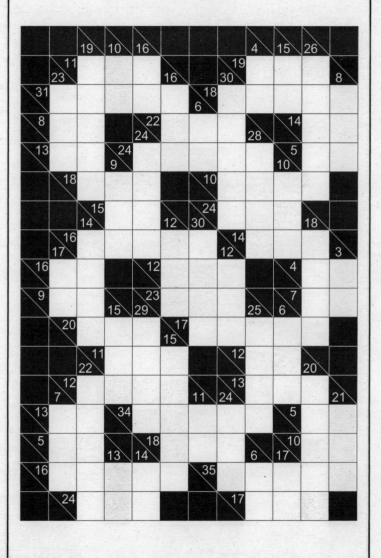

37

No 31

No 32

No 33

No 34

No 35

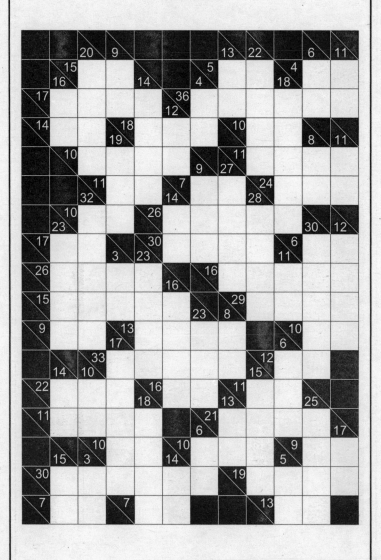

No 36

No 37

No 38

No 39

No 40

No 41

No 42

No 43

No 44

No 45

No 46

No 47

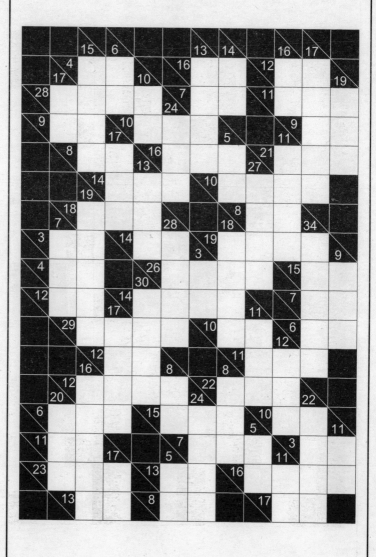

No 48

No 50

No 51

No 52

No 53

No 54

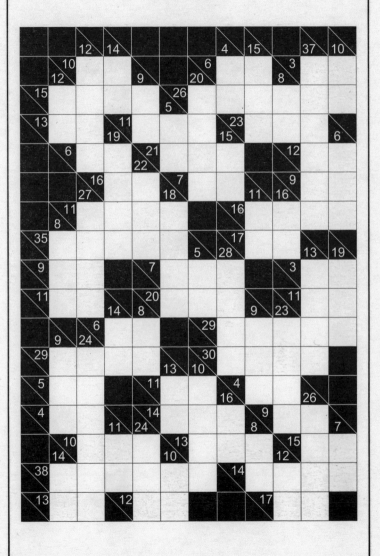

No 55

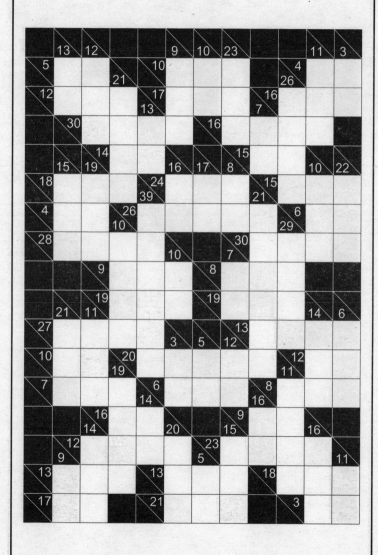

No 57

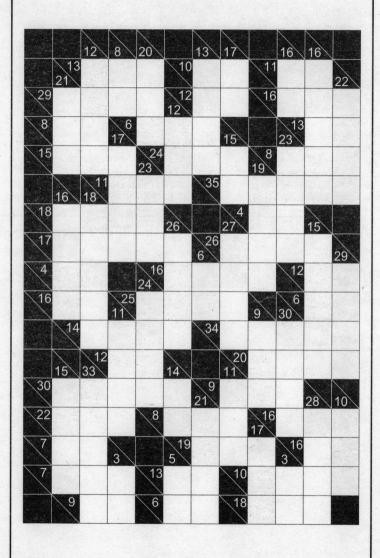

No 58

No 59

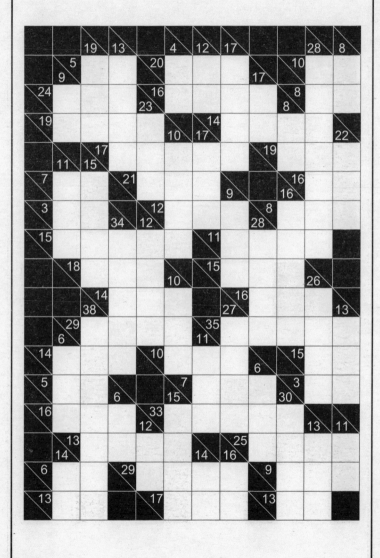

No 61

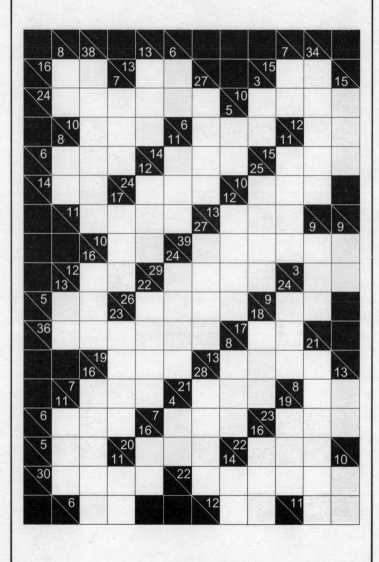

No 62

No 63

No 65

No 66

No 67

No 69

No 70

No 71

No 72

No 73

No 75

No 76

No 77

No 78

No 79

No 81

No 83

No 84

No 85

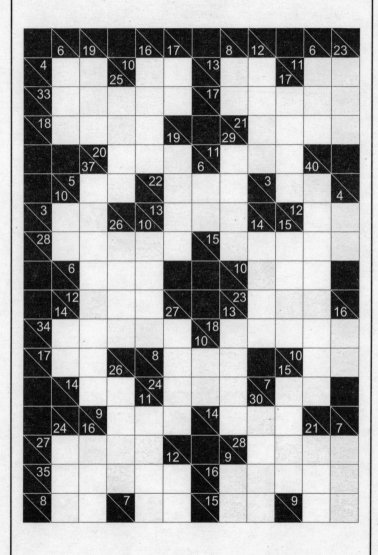

No 86

No 87

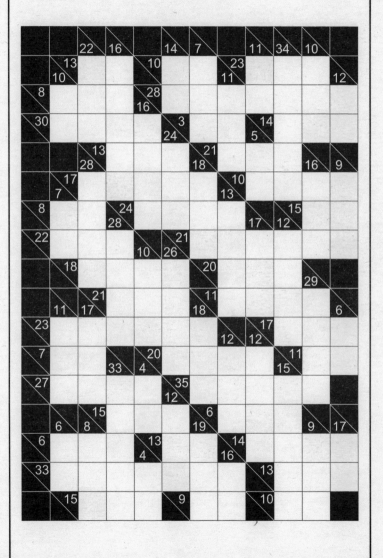

No 91

No 92

No 93

No 94

No 95

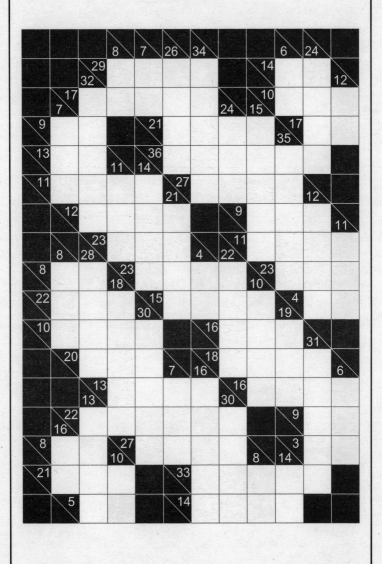

No 96

No 97

No 98

No 99

No 101

No 103

No 104

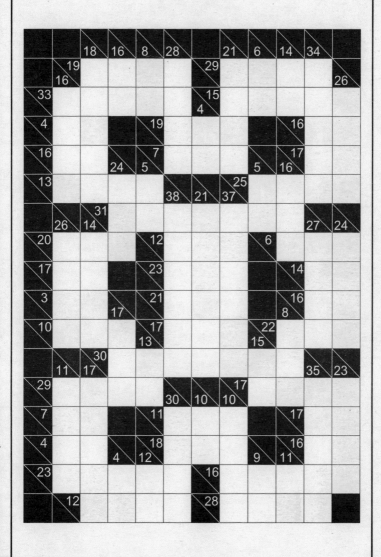

No 105

No 106

No 107

No 108

No 109

No 110

No 112

No 113

No 114

No 115

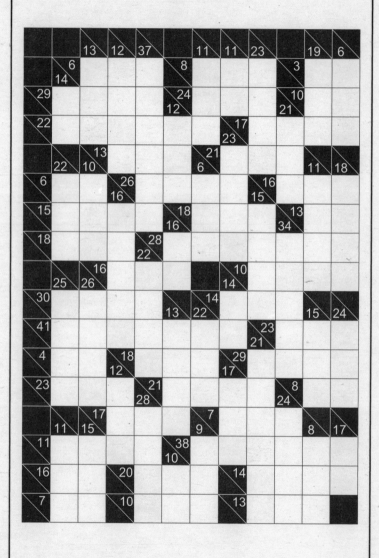

No 116

No 117

No 118

No 119

No 120

No 121

No 122

No 123

No 124

No 125

No 126

No 127

No 129

No 130

No 131

No 132

No 133

No 134

No 135

No 136

No 137

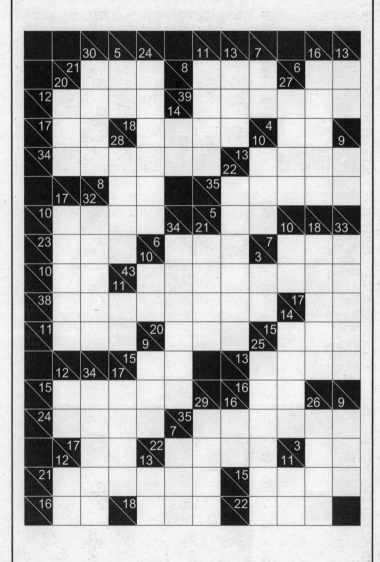

Solutions

No 1
No 2
No 3
No 4
No 5
No 6
No 7
No 8
No 9

Solutions

No 10

No 11

No 12

No 13

No 14

No 15

No 16

No 17

No 18

Solutions

No 19

No 20

No 21

No 22

No 23

No 24

No 25

No 26

No 27

Solutions

No 28

No 29

No 30

No 31

No 32

No 33

No 34

No 35

No 36

Solutions

No 37

No 38

No 39

No 40

No 41

No 42

No 43

No 44

No 45

Solutions

No 46

No 47

No 48

No 49

No 50

No 51

No 52

No 53

No 54

Solutions

No 55

No 56

No 57

No 58

No 59

No 60

No 61

No 62

No 63

Solutions

No 64

No 65

No 66

No 67

No 68

No 69

No 70

No 71

No 72

Solutions

No 73
No 74
No 75

No 76
No 77
No 78

No 79
No 80
No 81

Solutions

No 82

No 83

No 84

No 85

No 86

No 87

No 88

No 89

No 90

Solutions

No 91

No 92

No 93

No 94

No 95

No 96

No 97

No 98

No 99

Solutions

No 100
No 101
No 102

No 103
No 104
No 105

No 106
No 107
No 108

Solutions

No 109

No 110

No 111

No 112

No 113

No 114

No 115

No 116

No 117

Solutions

No 118
No 119
No 120

No 121
No 122
No 123

No 124
No 125
No 126

Solutions

No 127

No 128

No 129

No 130

No 131

No 132

No 133

No 134

No 135

Solutions

160

No 136

	9	8	6	7		2	5	1	3
4	6	1	3	2		4	9	8	7	5
5	7		5	1		7	8		9	6
	1	7					7	1		
2	3	5	8	1		1	4	3	2	7
7	5		9	3	1	2	6		4	9
6	8	9		5	6	4		2	1	8
	2	5	1	4		3	7	9	8
	7	8	9	6		5	9	8	6
1	4	7		9	1	8		7	5	1
2	1		9	8	2	7	3		3	2
3	9	4	8	7		6	7	8	9	5
	1	3				2	5		
9	6		7	9		9	5		8	9
2	1	9	6	8		8	4	6	9	7
	2	1	4	6		4	1	2	3

No 137

	8	4	9		2	5	1		2	4
3	6	1	2		5	7	6	8	4	9
8	9		5	9	3	1		3	1
9	7	8	4	5	1		2	7	3	1
	7	1			5	7	9	6	8
1	2	4	3			4	1
6	8	9		3	1	2		1	2	4
3	7		6	7	8	3	1	9	4	5
5	9	8	4	6	3	1	2		8	9
2	6	3		4	9	7		4	3	8
	6	9			3	2	1	7
3	4	1	2	5		9	7
9	8	6	1		8	9	4	1	7	6
	9	8		4	9	7	2		2	1
3	6	2	4	1	5		1	4	8	2
9	7		9	2	7		6	7	9